사랑하니 떠나보낸다.

사랑하니 떠나보낸다.

발 행 | 2024년 4월 17일
저 자 | 지서율
펴낸이 | 한건희
펴낸곳 | 주식회사 부크크
출판사등록 | 2014.07.15.(제2014-16호)
주 소 | 서울특별시 금천구 가산디지털1로 119 SK트윈
타워 A동 305호
전 화 | 1670-8316
이메일 | info@bookk.co.kr

ISBN | 979-11-410-8137-9

www.bookk.co.kr

사랑하니 떠나보낸다.
지서율 지음

목차

프롤로그

제가 살아오면서 느꼈던 감정들과 생각
들을 저의 상상을 더해 한 편의 어른들
의 동화 속 이야기처럼 글로 담아 써봤
습니다.

삶에 지쳐있는 사람들에게 이 글을
전해드리고 싶은 마음입니다. 저의
글을 읽고 조금이나마 위로와 웃음
이 전해지길 바랍니다.

저의 첫 "사랑하니 떠나보낸다"
책을 읽어주셔서 정말 감사드립니다.

제 1장 환상 속의 사랑 이야기

하얀 소인의 속삭임

네모난 검은 침대에 여인은 누워있었다.
베개 속에서 하얀 소인이 나타나 말을
걸었다.

  "당신은 지금의 사랑이 행복하나요?"

여인은 대답 대신 눈물만 그저 흘릴 뿐이었
다. 하얀 소인은 그저 우는 여인을 조용히
안아주었다.

그러자, 하얀 소인은 점점 까맣게 변하며 다
시 베개 속으로 사라졌다.

붉은 금붕어의 소원

잠잠한 작은 어항 속, 붉은 금붕어는 그가
오기를 한없이 기다렸다.

저 멀리서 그가 붉은 금붕어 앞으로 다가왔
다. 붉은 금붕어는 그를 쭉 바라봤지만 그는
못 본 체 무시하고 지나쳤다. 붉은 금붕어는
그에게 관심을 받기 위해 있는 힘껏 어항을
머리로 세게 여려번 부딪혔다. 그러자 어항
은 와장창 깨져버리며 붉은 금붕어는 바닥
으로 떨어졌다.

그는 황급히 붉은 금붕어 곁으로 달려왔다.
붉은 금붕어는 그를 보자마자 웃으며 잠
들었다.

불행했던, 그때의 여름

모두가 그때의 여름을 그리워하며 좋아할 때, 나 홀로 불행했던 그때의 잊을 수 없는 여름을 보냈었다.

삶이 갑자기 한순간에 이렇게 될 수가 있나 싶었다. 마치 끝도 없는 숲속 마을에 우렁차고 커다란 나무들 사이에 혼자 덩그러니 놓여진 기분이었다.

이만큼 외롭고 비참할 수 있을까.

모두가 또 한 번 다음 해의 여름을 기다릴 때 나는 여름도 아닌 사계절도 아닌 아무도 모르는 행운이 가득한 다음 해가 올 때까지 기다릴 것이다.

바다의 말

아련하게 빛이 나는 바다에 그냥 몸을
담그고 싶다.

저 멀리 파도가 치며 나에게로 다가오는
데 꼭 나에게 말을 걸며 위로해 주는 거
같았다.

차라리 저 파도가 덮쳐 떠내려가고 싶다.

그래도, 한 때 좋아했던 사람이다

내가 그 사람을 증오하며 미워하는 것은
바보 같은 짓이다.

그 사람이 좋아하면 나도 좋아했고
그 사람이 우울해하면 나도 우울했었다.

갈등이 생겼더라도 그 사람을 존중하고
배려를 했어야 했다.

현재에서는 그 사람을 증오하며 미워하는
마음이 아니라 그 사람이 잘 됐으면 하는
마음을 갖자.

내가 한때 좋아하고 아껴주고 사랑했던
사람이니까.

고물 상점

눈이 내리는 고요한 저녁에 허리가
많이 구부러진 어느 할머니가
낡은 고물 상점에 들어갔다.

고물 상점에 들어간 할머니는
젊은 여자에게 물어봤다.

"여기가 잊어버린 기억을 되찾아주는
곳인가..?"

젊은 여자는 조용히 고개를 끄덕이며
물이 가득 찬 항아리를 내밀며 젊은
여자가 말을 깨냈다.

"이 항아리에 비친 자신의 얼굴을 보면
기억을 되찾을 겁니다."

할머니는 물에 비친 자신에 얼굴을 지긋
이 바라봤다. 하지만 물속에서는 아무런
일이 일어나지 않았다.

할머니는 젊은 여자에게 큰 소리를 냈다.

"이게 뭐야! 아무것도 안 보이잖아!"

젊은 여자는 할머니를 보며 이렇게 말했다.

"당신은 이미 40년 전에 이 상점에 와서 그 기억을 잊고 싶다며 나에게 기억을 영원히 지워 달라 부탁했었습니다."

할머니는 그렇게 아무 말 없이 묵묵히 찾고 싶은 기억을 못 찾은 체 추운 길을 다시 되돌아갔다.

과거

"만약 당신에게 과거로 돌아갈 기회를 준다면 어떨 거 같나요?"

과거로 돌아간다면 좁은 골목을 지나 수많은 창문들을 지나쳐 아름다운 꽃이 가득한 푸른 정원을지나 그에게 달려가 안길 것이다. 못 했던 말들을 해줄 것이다.

"먼저 떠나서 미안하다. 저 먼 정원에서 늘 너를 기다리고 있겠다. 너는 천천히 와줬으면 좋겠다."

"사랑한다."

회색 곰

사냥을 실패한 회색 곰은 뚜벅뚜벅
숲속에 버려진 한 오두막집으로 들어
간다.

낡은 식탁에는 어젯밤에 길가에 주워온
사과 하나뿐, 회색 곰은 의자에 앉아
사과를 먹으며 오늘따라 애틋해 보이는
밤 하늘인 창밖을 바라본다.

감정 스푼

뭉클함 한 스푼

공허함 두 스푼

설렘 네스푼

간절함 한스푼 반

검은 소인의 이야기

나는 사람들의 슬픈 감정을 먹고 살아요.
배고플 때면 우울해하는 사람에게 찾아가
그 슬픔을 꺼내 먹어요.

"맛있냐고요?"

"전혀요."

저도 좋은 감정을 먹고 싶어요.
하지만, 사람들에게는 좋은 감정들이 꼭
필요해요. 사람들의 슬픈 감정이 없어진다
면 저는 기뻐요. 배만 채울 수 있으면 됐죠.

내 죽음에 당신이 찾아와줄까

한 번쯤 생각해 본다.
내가 죽으면 당신이 찾아와줄까?

당신한테 나는 어떤 존재였으며,
당신한테 나는 어떤 사람이었는지.

찾아와서 나에게 무슨 말을 해줄지.

진지한 사랑

장난스러운 사랑을 끔찍하게 싫어한다.

그에게 진심으로 다가간 내가 뭐가
되는 것인가. 그저 나의 마음을 갖고
논 것 밖에 설명이 안된다.

내가 원하는 사랑은 이런 게 아니었는데,
나를 진심으로 대해주고 진지하게 나를
생각해 만나주는 사람을 원하는 것뿐.

내일의 너에게

오늘도 울적해 있는 너에게 무슨 말을
해주어야 할까.

눈동자는 마치 희뿌연 안개속에 묻힌
연못 같았다. 도무지 알 수 없는 눈빛
이다.

그 맑고 옥구슬 같았던 눈동자는 어디
로 간 것일까.

오늘 하루는 조용히 너의 곁에 머무르
고 내일의 너에게 먼저 "오늘 하루 어
땠어?"라며 말을 걸 것이다.

당신의 기억 속에 살고싶다

내가 당신을 기억해도 행복하지가 않다.

내가 기억하면 뭐 하나, 당신이 나를 기
억 해주지를 못하는데, 당신이 나를 기억
해 주고 그 세상 속에서 살아가고 싶다.

향기

모든 감정과 추억에는
향기가 난다고 한다.

그때 느꼈던 첫 설렘

창가의 따스러운 햇살

바람에 휘날리는 풀들

나를 바라봐 주던 갈색빛
눈동자

책상에 놓인 달달한 초콜릿

다시 한번 그때의 향기를
맡아보고 싶다.

백일몽

실현될 수 없는 헛된 공상.

난 그것을 사랑하고 아낀다.

실현될 수 없으니 상상 속에서라도 맘껏 느끼고 싶다. 상상 속이 아닌 곳은 벗어나고 싶다.

내가 행복하지 않은 곳을 좋아할 필요가 있을까?

씁슬한 로맨스

동화 속 주인공들은 원하는 사람을 만나
끝내 사랑을 이루는 해피엔딩으로 끝나는
데 언젠간 내 인생에도 동화 같은 사람이
나타나 행복한 사랑을 이루고 싶다.

그러기엔 너무 비현실적인 스토리일까?

사랑하니 떠나보낸다

나에게는 당신뿐인데, 당신 생각뿐인데
당신은 그런 나를 위한다며 떠나가요.

그 말을 하는 당신의 눈가에 눈물이 맺
혀 있어요. 나는 그 눈물을 닦아주며 당
신을 보내요.

나도 당신을 사랑하니까요.

그리운 너의 사랑

도대체 뭐가 그리운지 잘 모르겠다.

그때의 내가 좋아하던 계절에 이뻤던
연애를 했던 때가 그리운 건지, 아니
면 내가 좋아하던 너에게 그토록 원
하던 사랑을 받았던 게 그리운지.

녹아내린 사랑

비가 폭우처럼 쏟아지는 그날
그때의 우리가 어떤 사이인지
알 수 있었다.

우리의 사람을 확인한 순간
우리의 사랑은 비에 녹아내
렸다.

괜찮다고 말하지 말아 줘요

괜찮다고 말하지 말아 줘요.

울고 있는 나에게 내가 아무리
잘못했더라 해도 그 한마디에
더 미안해져 눈물만 나올 뿐이
잖아요.

너와의 첫 만남

너와 만났던 그곳을 찾아가 본다.
그때와 똑같은 향기와 모습들.

물론 달라진 건 지금의 너와 내가
이곳을 다시 와도 그때 느꼈던 감
정과 우리의 모습은 다를 것이다.

나는 그때의 너를 다시 만나고 싶다.

여인

한 여인이 기억을 지우기 위해 도망을
가지만 갈 곳이 없다.

욕조에 들어가 잊고 싶은 기억들을 잊
으려고 물을 가득 채우려 한다. 잊으려
고 하지만 마음속한 곳은 잊고 싶지 않
은 마음이다.

물이 가득 흘러넘칠 때쯤 여인은 그것
을 아름다웠던 추억이라 기억하기로
하고 잠겨버린다.

해피엔딩

화살 고양이는 어느 시골의 길고양이였다.
몸에 있는 흉터가 화살 모양이라서 이름이
"화살" 이다.

화살 고양이는 조용한 시골이 지루해질 때
쯤 저 멀리 나무 모퉁이에서 처음 보던 고
양이가 보였다. 그 고양이는 심하게 엉켜있
는 검은색 털에 많이 굶주린 상태였는지 힘
이 없는 눈이었다.

화살 고양이는 낯선 고양이가 신경 쓰였는
지 자신이 바위 밑에 숨겨둔 작은 생선을
건네주었다. 고양이는 경계를 해야 했지만
배고픈 나머지 생선을 허겁지겁 먹기 바빴
다. 고양이는 화살 고양이에게 믿음이 갔는
지 그 뒤로 서로 같이 다녔다. 마을 사람들
은 새로운 고양이를 보더니 털이 엉켜있으
니 이름을 "엉크리" 라고 짓기로 했다. 화
살이와 엉크리는 매일 같이 뛰어놀며 서로
를 의지하며 하루하루를 보냈다.

화살이는 엉크리의 엉켜진 털이 신경 쓰였는지 매일 같이 엉크리의 털을 핥아주며 털을 정리해주었다. 엉크리도 자신을 그렇게 챙겨주는 화살이에게 점점 마음이 갔다. 따스러운 햇살에 몸을 맡겨 즐기고 있던 고양이들 앞에 한 여자아이가 나타났다. 여자아이는 엉크리를 보고 큰 관심을 가졌다. 부드러워진 엉크리의 털을 쓰담으며 엉크리에게 말한다.

"나랑 같이 가서 살지 않을래?"

엉크리는 당황스럽기도 하며 좋기도 하는 마음이었다. 화살이도 내심 기대하며 여자아이를 올려다보았다. 여자아이는 화살이의 흉터를 보더니 얼굴을 찡그렸다. 여자아이는 곧바로 엉크리를 데리고 자리를 떠나려 한다. 화살이는 여자아이의 신발을 붙잡으며 비명을 질렀다. 엉크리도 그런 화살이와 떨어지고 싶지 않았는지 비명을 지르며 여자아이 품에서 빠져나가려고 발버둥을 쳤다. 여자아이는 그런 고양이들이 짜증났는지 엉

크리를 다시 내려놓고 그대로 갈 길을 가버
렸다. 화살이와 엉크리는 안심하며 서로를
핥아주며 서로의 마음을 확인할 수 있었다.

더욱더 애틋하고 아름다운 사이가 되었다.

간절한 사랑

나를 한 번만 안아줘요.
그대의 온기를 느끼고 싶어요.

하지만 소심한 성격 탓에 차마 말을
못할 뿐, 바보 같은 난 그대를 그렇게
바라만 보며 사랑해요. 나를 제발 한
번만이라도 바라봐 주세요.

그대만을 바라보며 애절하게 사랑하는
사람이 나인걸 그대는 모를까요?

바보 같은 나는 오늘도 눈물을 흘릴 뿐.

복숭아 같은 사람

매일 같이 무기력한 나에게 늘 한결같이
다정한 모습을 보여주며 내가 힘들 때마
다 곁에서 나를 감싸 안으며 지켜주던
당신.

당신의 고운 피부 결과 살 냄새에 나의
불안한 마음이 가라앉아 오늘 하루도
조용히 지나간다.

나의 사랑을

당신께 준 나의 사랑을 잊지 말아 주세요.

그 사랑을 계속해서 기억해 주세요.

나를 잊지 말아 주세요.

나도 당신을 잊지 않을 거예요.

무한 반복 사랑

사랑은 언젠간 다시 오기 마련이다.

찾아오는 사람마다 다르겠지만, 얼떨결
에 그 사랑과 방식이 같아진다면 예전
에 찾아왔던 사랑이 기억난다.

분명 그때는 그 사랑이 좋았는데 지금
은 그 사랑과 같은 방식으로 사람을 사
랑할라 하니 어쩔 줄 모르는 뒤숭숭한
먼지 덩어리 같은 마음이다.

그런 마음에도 나는 무한적인 사랑에
빠진다.

공허함

그 사람 곁에 늘 있다가 어느 순간
없어졌는데도 나를 찾지 않을 때,

찾아줄 때까지 말없이 너를 기다릴 때.

단편 영화

우리가 지금까지 해온 사랑은 짧기만
한 단편 영화이지만 그 숨겨진 과정과
우리들의 감정들은 전혀 짧지 않은
낭만적인 스토리다.

차가운 주황빛

조용한 바람과 부드러운 모래와
작고 작은 조개껍질들 노을빛이
쏟아지는 바다에 너와 단둘이
샌들을 벗고 바다에 뛰어다니며
놀던 그 순간이 좋았다.

다시 오길 바란다.

나를 바꿔주는 사랑

사랑은 참 신기하다.

내가 그렇게 두려워하며 무서워
하던 일들을 이겨낼 수 있게 만
들어주고, 나를 좋은 사람으로
만들어주며 사랑과 용기, 믿음
모든 걸 주는 너의 사랑이 너무
고맙다.

나도 너에게 그런 사람이 되고
싶다.

거짓인 운명

우리들의 관계와 모든 것들이
운명이라고만 믿고 살아왔는데
이제 보니 그동안 우리가 서로
노력해왔던 것이었다.

지금의 난 네가 내 삶에서 사라지
니 운명이란 걸 볼 수도 생각도 못
할 뿐이다.

사랑해서였다

나에게 조언을 해주기도 하며 때론
화를 내며 타이르는 네가 밉고 서운
했었는데 이제 생각해 보니 그것 또
한 나를 사랑해서 했던 행동들이었다.

사랑하니까 내가 잘되기를 바라며
올바른 길로 가기 위해 해줬던 말들
인데 그때 나는 왜 그걸 미처 몰랐을까.

당연해진 사이

어느 날부터 너란 사람이 다르게
느껴진다. 아무런 일도 안 일어
났는데 당연해진 거 마냥 자연스
럽게 멀어져 간다.

나란 사람은 물어볼 용기조차 없어
아무 말 없이 나도 자연스럽게 그와
멀어져 간다.

바라는 것

내가 힘든 나날들을 오랫동안
보낸 것처럼 너는 하루라도 그
힘든 날을 지내봤으면 좋겠다.

그래야지 내 힘들고 고통스럽
던 마음을 네가 알아줄까?

그때라도 알아준다면 더 이상
바랄건 없을 거 같다.

깊은 나무줄기

당신을 이제는 잊고 싶은데
그러기엔 너무나도 당신을
사랑했다.

아직도 너를 사랑하는데 이제
그 사랑을 보여주거나 줄 수
가 없다.

8월

우리들은 그 장소에 존재하지 않지만
그때의 기억은 옛 여름과 함께 그곳
에 머물러 있다.

시간이 알려주는 사실

처음엔 그저 당신과의 이별 때문에
미워하고 원망하기만 했지만 천천히
시간이 흘러가다 보니 그때의 좋았던
기억과 추억들이 이별을 덮을 만큼
많다는 걸 깨달았다.

제 2장 우리들의 사는 방식

민들레와 거인

푸른 숲속에 민들레 씨들이 많이 있었다.
저 멀리 커다란 발을 가진 거인이 성큼
성큼 걸어왔다.

거인은 어떠한 이유인지 화가 나 있었다.
누구 하나라도 보이면 바로 죽일 것만
같았던 일그러진 얼굴이었다.

민들레 씨들은 두려움에 벌벌 떨며 그 자리
를 벗어나고 싶었지만 벗어날 수 없었다.
거인은 화난 얼굴을 지으며 주변을 둘러보
더니 자신보다 작은 민들레 씨들을 보더니
냉큼 꺾어버렸다. 거인은 꺾은 민들레씨들을
세게 하늘을 향해 불었다. 힘없는 민들레 씨
들은 민들레가 되지도 못한체 그대로 하늘
로 날아갔다.

마치 우리가 사는 세상을 보는 거 같다.

불행한 운

운이 없는 인생..

제발 안 이루어졌으면 하는 일들은 꼭 이루어진다. 세상에 요정이 있다면 나에게 행운을 선물해 달라고 하고 싶을 지경이다.

매일 동안 그 상상을 하며 지내다 보면 문득 생각이 든다. 안 그래도 불행한 인생 여기서 뭐라도 안 하면 더 불행해질 것이다, 그것만큼은 절대로 이루어지면 안된다. 내가 지금 할 수 있는 만큼 하자는 마음으로 하다 보니 어느새 나도 모르게 내가 한 칸씩 성장해 있다. 만약 나의 행운으로 지금의 행복한 순간이 왔다면 그 자리에 만족해하며 어떠한 일도 해보려고 안 했을 것이다.

나의 불행한 운을 인생의 기회로 생각하며 도전하자.

발자국 없는 길

나는 빛나는 왕관을 얻기 위해 선인장 밭을
밟으며 발버둥 치며 올라간다. 경쟁자들도
서로를 밀치며 스 왕관을 얻으려고 피 터지
게 싸운다. 그러다가 문득 뒤를 돌아보니 내
뒤로 처참히 쓰러져 있는 사람들과 선인장
가시들이 널브러져 있었다. 그걸 보니 묘한
감정들이 뒤섞여 내 마음속에서 딱딱한 덩
어리가 툭 하며 떨어졌다.

그저 말없이 떨어진 덩어리를 물끄러미 바
라볼 뿐이었다. 내가 고작 이 왕관을 얻기
위해 이런 것일까? 이 모습을 보고 싶어 그
랬던 것 일까? 난 내 자신이 갑자기 부끄럽
게 보이고 별 볼 거 없는 사람처럼 느껴졌
다. 저 멀리 희미한 빛이 느껴져 오른쪽으로
고개를 돌려 보니 부드러워 보이는 모래가
쌓여있는 길이 있었다. 하지만 그곳은 작고
맛없어 보이는 사탕이 하나 놓여 있을 뿐,
나는 내가 지나던 길을 등지고 아무런 발자
국이 없는 모랫길을 가보려 한다.

거짓 거울

사람들은 남의 시선을 의식해 사람들이
하는 행동 하나하나 모두 따라 한다.
10명 중 1명이 다르게 행동하면 그 사람은
잘못된 것이라 생각한다. 맞는 생각이어도
모두가 아니라 하면 아닌 것으로 만들어버
린다.

남의 잘못된 지적을 받아들이지 말고 자
신의 가치관이 맞다 생각하며 옳은 길을
가기를 바란다.

말 한마디

반복적인 힘든 하루를 견디고 아무도 없는
집에 돌아와 아무 소리 없는 공간에 홀로
누어 있으니 문뜩 지금의 상황에 놓인 내가
너무 안타깝고 그런 자리에 있는 나 자신이
너무 싫어지고 밉기만 한다.

그런 나에게 누구라도 너는 충분히 좋은 사
람이고 앞으로 잘해낼 거라고 말해줬으면
한다. 그럼 내일의 하루는 잘 될 텐데.

퍼즐

살다 보면 느낄 때가 있다.
나를 다정하게 대해주는 사람은 있을까?

오랫동안 찾아봐도 그런 사람은 안 보인다.
그럴 땐 나의 행동을 생각해 보며 봐야 한
다. 내가 먼저 그 행동을 실천하며 사람을
대하고 있는지, 물론 내가 먼저 다가가도 그
걸 부정적으로 생각하며 나를 부정적으로
대하는 사람들도 있을 것이다. 그러한 사람
에게는 굳이 다정해질 필요 없다 생각한다.
그 사람의 행동에 나의 행동이 틀리다 생각
하지 말고 나의 다정함의 보답할 줄을 아는
다정한 사람을 만나 다정함을 줄 것이다.

한 사람만 노력하는 것이 아닌 서로가 노력
하며 맞춰가는 퍼즐 같은 사이가 이루어졌
으면 바란다.

다음 페이지

어느덧 사계절이 훌쩍 지나가버렸다.

봄에는 들뜬 마음을 가라앉히고
여름에는 긴장감이 와도 진정시켜주고
가을에는 쓸쓸함이 와도 버텨주고
겨울에는 지금의 날에도 내가 있게끔
잘 해온 나를 다독여준다.

나의 18번째 페이지를 마무리하며 19번
째 페이지로 넘어간다.

너의 나무는

너의 마음속에 그려진 나무는 어떠한가?

높은 천장을 바라보며 옆 나무와 달리는
상상을 하는지, 나무는 그리워서 어디론
가 떠나려고 하지는 않은지.

두려움에 그저 나무는 망원경으로 밖을
구경하며 즐길 뿐이다.

내 안의 삶

삶을 살아가면서 가장 중요한 것이 무엇인지 궁금해 찾아 헤맬 때가 있다. 하지만 그렇게 궁금해하며 고민할 필요 없다.

가장 중요한 건 지금의 내 안에 있는 것들이 소중하고 중요한 것이다. 우리들은 지금의 삶이 당연하듯 여기며 살아가기에 쉽게 알지 못해 못 찾는 것이 아닐까?

내 안에 있는 것을 중요하게 여기며 살아가면 그때의 삶의 감사함을 느끼며 살아가게 될 것이다.

오뚝이

오뚝이 같은 사람이 되고 싶다.

넘어질려는 순간이 와도 끝까지 다
시 올라오는, 묵묵히 주변 사람들에
게 티 나지 않게 다시 올라가고 싶
다.

누군가에게 나의 단점이 보이면
상대방이 실망할까 봐 그 점이 싫다.

돌아오는 여름

다시 돌아오고 있는 여름이 왠지
모르게 반갑게 느껴진다. 난 원래
여름을 끔찍이 싫어했었다.

여름에는 정신을 제대로 못 차리고
아무 생각 없이 길을 지나며 목적지
에 가게 된다. 어쩌면 난 그런 순간
만을 좋아했던 거 같았다.

그때의 특유의 따스함과 풀 향이
너무나도 아름다운 그림 같다.

그 파도를 안아줘

뜨거운 여름을 피해 도망쳐
나의 물결을 품어주세요.

나를 안아주세요.
조금이나마 그 품에서 숨을
쉬고 싶어요.

봄에 찾아갈게요

차갑고 시들던 겨울에 만났던 당신이
생각난다. 지금 당장이라도 당신을 보러
찾아가고 싶지만, 지금의 내 모습이 너무
초라하기 마련이다. 당신께 걱정을 안겨
주고 싶지 않을 뿐이다.

그러니 따스러운 햇살이 뜨는 봄에 당신
을 찾아갈게요. 그때는 우리 둘 다 좋은
모습으로 다시 만나요.

당연한 관계

우리들의 관계는 영원할 줄 알았는데 아니었다. 나도 모르는 사이에 멀리 떨어져 있는 게 관계이다.

나와 같이 돛단배를 타며 넓은 자다를 향하고 있었는데 눈 깜짝하니 그 사람은 다른 사람의 배로 이동해 저 멀리 떠나가고 있었다. 나는 무덤덤한 표정을 지으며 나와 같이 배를 탈 새로운 사람을 구하러 넓은 바다를 건너간다.

믿음

인간관계에서는 믿음이 중요하다는데,
나는 그 믿음이 왠지 모르게 싫다.
남들을 쉽게 믿는 것과
남들이 나를 쉽게 믿는 것.

사람들은 겉으로 신뢰감을 주며 믿음을
얻으려 하지만 슬프게도 마음만큼은 그렇
지 않은 사람들이 대부분이다. 마치 마법
과도 같다. 나도 모르는 사이에 그 사람을
믿게 되면서 신뢰하는데 그러다가도 언젠
간 깨지는 게 마련이다. 그러면서 머릿속과
마음속은 폭풍이 내릴 뿐이다. 우리는 그 마
법에 걸리지 않기 위해 나에게 먼저 다가와
주는 사람들을 무턱대고 다가가며 믿지 말
고 그 사람이 어떤 사람인지를 자세히 볼
필요가 있다.

나 자신을 지키기 위한 방법이다.

좋아하는 것

사람들은 대부분 내 안에 존재하는
것들을 취미이자 좋아하는 것이라
하며 여긴다.

나에게 있는 것들을 좋아하는 것도 좋지만,
때론 멀리 바라보며 찾아가 보는 것도 좋다
생각한다. 그러면 내가 좋아하는 것이 더욱
다양해지고 범위가 넓어진다.

굴러가는 공

주변 사람들과 분명 관계가 좋은 거 같지만
문득 생각해 보면 그냥 주위를 굴러다니는
공 같기만 하다.

남들에게는 내가 먼저 맞춰주고 배려해 주
니 그걸 이제는 당연하듯이 여기고 나를 쉽
게 보고 툭 툭 던지는 것만 같다.

지금 와서 나의 감정을 이야기하며 이제 와
서 왜 그러냐는듯 한 표정과 말만 돌아올
뿐이다.

늘 그렇듯 계속 지나가는 공처럼 굴러가서
언젠간 사람들 곁은 떠나 혼자 자유롭고
평온한 세상에서 뛰어다니고 싶다.

있는 그대로를

나를 있는 그대로 사랑해 주세요.

어떤 모습이든 나를 지켜주며 아껴주세요.
나는 그 무엇보다도 소중한 존재예요.

나를 먼저 사랑할 줄 알아야 다른 사람을
사랑할 줄 알아요.

대화 속 이쁨

말을 다정하고 이쁘게 하는 사람은
마음속도 이쁠 것이다. 마음속이 이뻐
야 그 속에서 나오는 말도 이쁠 것이니.

당신이 나에게 소중한 존재로 있어주는
게 감사한 마음이다.

세상을 좋아하는 이유

우리가 사는 세상 속은 나중에 어떠한
일들이 일어날지 우리들은 전혀 모른다.

그렇기에 하루하루 살아가는데 조금 더
의미가 깊고 그 하루를 어떻게 살아갈지
생각하며 어떻게 살아가야 조금 더 재밌
고 행복하게 살 수 있는지 나의 행동에
달려 있기에 나를 믿고 그 하루를 위해
열심히 살아가는 게 너무나도 좋을 뿐이
다.

나 자신을 믿어보고 하루를 열심히
살아주길 바란다.

불꽃

나에게 찾아온 그날 너무나도 아름답
게 불꽃이 터지듯 당신이 웃어줬다.

그 웃음이 오래 가주다 시간이 지나
니 그 빛나던 불꽃이 서서히 희미하
게 흐려지며 꺼지고 있었다.

다시 한번 보고 싶지만 볼 수가 없다.
내 몸이 타들어가도 너의 웃음이 보고
싶다.

끝과 힘듦

끝과 힘듦 그 경계 사이에 있을
때 도저히 움직이지 못할 정도
로 숨이 막히고 답답하다.

그 사이를 벗어날 수 있는 많은 문
들이 있지만 그중에 내가 나갈 수
있는 문들이 보이지가 않는다.

숨이 차고 힘들어 몸을 일으키지 못
해 끝내 바닥에 누워 겨우 숨을 쉴
뿐이다.

눈 맞춤

사람과의 눈과 나의 눈이 서로
바라보는 게 어렵기만 하다.

나의 생각이 읽힐까봐 불안하기도
하며 그 사람의 눈을 보면 마음이
어떤지 눈에 잘 보여 그때마다 어
떻게 해야 할지 몰라 마음이 넝쿨
마냥 뒤숭숭하다.

언덕

갈색 곰은 언덕 위에 있는 사과나무
에서 사과를 따먹고 싶었지만 그 언
덕은 높고도 높았다.

갈색 곰은 처음에 망설여하며 고민을
했지만 그 사과를 꼭 얻고 싶어 언덕
을 오르기 시작했다. 처음에 올라가는
길이 어렵기만 했다. 길가에 돌멩이들
이 많아 밟혀가며 나뭇가지를 피해 힘
겹게 올라가다 보면 어느새 언덕 꼭대
기에 도착해있었다.

갈색 곰은 높은 언덕까지 자신의 발로
걸어온 자신이 너무나도 자랑스러웠다.
갈색 곰은 원하던 사과를 얻고 집으로
돌아갔다.

다 지나가는 일

지금은 나에게 주어진 일들과 상황이 너무 힘들어 울기도 하며 자책하기도 하지만 그것 또한 다 지나가는 일이며 과정들이다. 그 과정을 피하지 않고 겪고 거치는 사람들이 나중에는 좋은 사람, 다정한 사람, 어른스러운 사람들로 성장해 있다.

그러니 지금 이 순간이 너무 힘들어도 나이가 들면서 시간이 지나면서 별거 아니란 생각이 점점 큰 그릇으로 변해간다.

태풍이 휘몰아치다가도 시간이 지나면 구름 사이로 따뜻한 햇볕이 나와 나를 맞아준다.

초록 나무

따스럽게 해가 저물어가는 오후에
은은한 풀 향에 맡겨 춤을 추다 보니
커다란 나무를 만났다.

그 나무가 왠지 모르게 반갑게 느껴졌다.
나무도 나를 반겨주듯 나뭇잎이 바람에
휘날리며 춤을 춘다.

비판

남을 이유 없이 오로지 자신의 재미를
위해서 남을 깎아내리고 비판하는 사람들
에게 되돌려 나도 똑같이 대해주지 말자.

그럼 나도 그들과 똑같은 사람, 똑같은
인격을 가지게 되니까. 너는 너대로 다정
한 사람이 되어 살아가라.

팔레트

우리들은 각자 다 다른 색을 지니고 있다.
다른 색과 섞여질 생각하지 말고, 그저
나다운 색을 보여주며 그냥 나답게 행복
하게 살아가자.

괜찮아, 이번 생은 처음이니까

모두 다 걱정하지 마요.
살다 보면 나도 모르게 실수할 수도 있죠.
꼭 완벽해 보일 필요 없어요.

지금도 충분히 잘하고 있고 잘 살아가고
있어요. 사는 게 힘들고 지칠 때는 내가
꼭 안아줄게요.

고슴도치

고슴도치 같은 사람이 되고 싶다.

나에게 안 좋은 감정을 품고 다가오는
사람들에게 뾰족한 가시를 내밀며 나를
스스로 보호할 줄 아는 사람이 되고 싶다.

선택

지금의 선택을 후회하지 말아요.

그 선택을 하기 위해서 당신은 많은
고민을 해오고 많은 준비를 해왔을
테니, 후회하지 말고 지금의 선택을
위해 더 나은 방향으로 나아가요.
당신은 잘할 테니까.

하루라도

너무 남을 위해 살아가지는 말자.

남이 소중한 만큼 나도 그 무엇보
다도 소중한 존재이다.

가끔이라도 그 하루를 나를 위해서
살아가자.

그늘 속 숨겨진 꽃

많은 꽃들 중 햇빛을 마음껏 받는 꽃
과 그늘 속에 가려져있는 꽃이 있었다.

사람들은 밝은 햇빛 아래에 있는 꽃들
을 좋아하며 많이들 보고 간다. 그늘
속에 가려진 꽃은 늘 그렇듯 사람들이
못 보고 지나가기 마련이다.

한 아이가 나타나 그늘 속 작게 피어난
꽃을 한참 보더니 잠시 어디론가 갔다
와 무언가를 가지고 왔다. 아이는 작은
물통에 물을 담아와 꽃에게 물을 주었다.

오늘따라 그늘 속 가려진 꽃이 다른 꽃
들보다 밝아보인다.

그냥 울어봐요

너무 힘들고 의지할 곳이 없을
땐 그냥 크게 한 번 울어봐요.

울지 않으려고 계속 참고 그러
면 마음속 깊은 곳에 나도 모르
게 남게 되면서 쌓이기만 해요.

한 번은 시원하게 울어야 마음
이 한결 편해져요.

관계란

그 사람과의 오랜 관계를 생각하며
굳이 안 좋은 사람과 관계를 계속
이어갈 필요 없어요.

얼마 안 된 관계여도 나를 위해주고
소중해하며 가치있는 삶을 살게 해주
는 사람을 곁에 두세요.

고생한 당신에게

오늘도 힘든 하루를 버티느라
고생했어요. 내일은 더 좋은
날이길 바래요.

마무리

하루의 마무리가 엉망이라 이대로
집에 가기는 싫어 아무 생각 없이
집 근처 공원으로 향한다.

저녁이라 조용한 공원에 바람이 서늘하
게 불며 풀 냄새가 나니 머릿속이 조금
은 정리되는 기분이다.

조용히 길가를 걸으며 오늘 있었던 일들
을 되돌아보며 정리하다 보면 마음이 안
정된다. 길을 걷다 보면 오늘 안 좋았던
일들이 어느새 자연스럽게 잊게 된다.

가끔은 머릿속을 정리할 겸 산책하는 것
도 나쁘지 않다 생각한다.

하나뿐인 삶

나에게 주어진 한 번뿐인 삶

이왕이면 조금 더 즐기고 가고 싶다.
더 많은 것을 찾아보고 도전해보는
삶을 즐기고 싶다.

남들이 뭐라 하더라도 나는 다른 사람
이니 나대로 멋진 삶을 살며 푸르고
넓은 언덕 위로 올라갈 것이다.

나의 희망

이 세상을 살아가는 당신이 좋다

어떤 상황에서도 미소를 보이는
당신의 얼굴, 사람들에게 힘을 주는
당신의 마음, 그런 당신이 나는 좋다.

당신 덕분에 내가 살아가요.

영원했으면 좋겠다.

내 곁에 있는 사람들과
가장 좋았던 오늘의 날씨,
그날의 어울린 좋은 향기들
그리고 이미 떠나간 것들

모든 게 다 영원했으면 좋겠다
지금이라도 후회 없이 소중해
하며 살아가려고 한다.

난 늘 너 편이야

이유 없이 내가 너의 편이라고 하는
게 아니라 너와 그동안 지내왔던 시
절과 너의 모습들을 봐서 그렇게 말
하는 것이다.

그런 너를 믿고 나는 너를 계속 응원
하며 옆에 있어줄 것이다. 그러니 두
려워하지 말고 앞만 보고 걸어가라.

떠나고 싶다

지금 현생이 너무 힘들고 지루해
어디론가 급하게 떠나가 버리고 싶다.

지금 신경 써야 하는 것들은 생각 안
해도 되고 오로지 평화롭게 뛰어놀며
내 마음대로 할 수 있는 곳으로 남들
모르게 떠나고 싶다

어떻게 보면 용기가 없어서 도망가는
걸로 보일 수 있다. 하지만 우리 모두
한 번쯤 그런 생각해 봤지 않았을까?

튜브

해변가에서 잔잔한 물 위에 노란색 튜브
를 올리고 그 위에 누워 눈을 감고 따사
로운 햇빛을 맞고 싶다. 그대로 조용히
물 위에서 둥둥 떠다니고 싶다.

우리가 사는 세상도 그렇게 잔잔하면
얼마나 좋을까?

세상과 멀어지고 싶은 날

이상하게 가끔은 그런 날이 있다.

이유는 모르겠는데 세상과 두 발짝
멀어지고 나 혼자 있고 싶다.
그날은 모든 시간이 멈췄으면 한다.

이유도 모를 만큼 많이 힘들었던 것일까.

소라껍데기

사람들이 너의 곁을 떠날까 봐
두려워하지 말자.

너의 그 모습을 좋아하고 보듬어
줄 수 있는 사람들이 분명 있다.
나 또한 너의 그런 모습이 참 좋다.

내가 너의 곁에 있어줄게.
내일이라도 소라껍데기 같은 삶을
살아가지 말자.

사람이란

사람들에게 쉽게 마음을 줬던 게
불행으로 되돌아올지 누가 알았을까.

아무도 겪어보지 않고는 모른다.
결국 사람 덕분에 좋았던 기억이
있는 것처럼 나쁜 기억도 사람 덕분
에 생겨난다. 사람 덕분에 상처도
받고 우울한 날이 오지만 그 덕분에
내가 더 강해지고 단단한 마음이
생기지 않았을까?

붉은 밤

아름답게 달이 뜬 밤에 와인이
잔뜩 젖은 반팔 티를 입고 늘 묶
던 머리를 풀어 한바탕 신나게 밖
을 뛰어다니며 춤을 추고 싶다.

그 달도 내 발에 맞춰 춤을 출 것
이다. 괜히 한 번 달에 소원도
빌어본다.

해가 뜨는 아침에는 다시 이불
속에 들어가 눈을 감자.

너에게

꼭 완벽해질 필요 없어요.
조금은 흐트러진 모습도
아름다워요.

의미 없는 열쇠

내 삶에 들어오는 문을 열어줬다면
언젠간 다시 내 삶에 문을 그 사람이
직접 열어 나갈 때를 각오해야 한다.

열쇠를 문을 잠가도 봤지만 소용은
없었다. 이미 그 사람은 마음을 결정
한 상태라 열쇠는 의미 없는 존재뿐.

너가 세상을 떠나는 날

만약 네가 지금 오늘 이 세상을
떠난다면 그동안 못다 한 말들을
다 하고도 못 할 것이다.

네가 내 곁에 있을 동안은 너의 존재
를 당연하다 생각하며 지내오다 보니
많은 애정을 못 준거 같다.

너는 나에게 맑고 넓은 잔디밭이었어.
내가 힘들고 절망 속으로 굴러떨어지고
싶을 때마다 떨어지지 않게끔 희망 가
득한 넓은 잔디밭을 나에게 내어주었어.

지금이라도 말하고 싶다.
내 곁을 늘 지켜줘서 고마웠어.

블록

힘들게 살아온 나의 삶이 순간의
실수로 무너질 때가 있지.

어렵게 쌓아 올린 블록이 쓰러진
것처럼 말이다.

우리들이 그때 해야 할 일은 우리가
그 일들로 인해 내가 무너지지 않게
끔 나를 잘 잡아줘야 한다는 것이다.

블록은 언제든 다시 쌓을 수 있으니까.

소인들

거인이 한마을을 우연히 발견했다.
그 거인은 얼굴 반 쪽이 일그러진
거인이었다.

거인은 새로운 마을에 대해 궁금한
나머지 마을 입구에 들어섰다. 걸어
가다 보니 마을 공터에 작은 소인들
이 모여있었다. 거인은 작은 소인들
이 신기하고 반가웠는지 먼저 인사를
건넸다. 그러다 소인이 고개를 들어
거인의 얼굴을 보더니 모두 소리를
지르며 경계했다. 모두들 괴물 같은
얼굴을 치우라며 마을을 나가라 하며
소리를 크게 질렀다. 거인은 자신이
나쁜 사람이 아니라며 소인들을 진정
시켰다. 많은 소인들은 거인의 말을
듣지도 않고 힘을 합쳐 거인에게 돌
을 던졌다. 아픔을 참지 못하고 거인
은 마을을 급하게 도망 나왔다.

다음날에는 다른 거인이 마을에 나타났다. 그 거인은 미모가 아주 뛰어났다. 거인의 얼굴을 본 소인들은 아름다운 미모라며 환호성을 보내며 좋은 사람이라 인식을 해 거인을 기쁜 마음으로 맞아주었다. 그 거인은 소인들이 한 눈을 판 사이에 날카로운 이빨을 내밀며 순식간에 소인들을 잡아먹었다. 소인들은 모두 놀라며 서둘러 도망을 가지만 이미 늦은 뒤였다. 한 편 멀리서 마을에 현장을 보고 있던 얼굴 반쪽이 일그러진 거인은 그 모습을 보고도 유유히 자리를 떠났다.

우리도 행복해질 수 있어요

우리 눈앞에는 늘 어렵고 버거운
일들만 가득하다.

자신이 서 있는 자리에서 움직이려
하지 않으면 더욱더 버거운 일들만
가득해질 것이다. 그 자리에서 필사
적으로 노력을 해야 행복이 내 눈앞
에 보이고 찾아오는 거 같다.

가만히 자리에 있어봤자 어떠한 상황
도 그 누구든 나에게 행복을 가져다
주지 않는다.

조금 힘들더라도 우리 같이 한 걸음
걸어봐요.